时尚烫发丛书

百变花式烫

明镜台 编著

湖南美术出版社

图书在版编目(CIP)数据

百变花式烫 / 明镜台编著. —长沙：湖南美术出版社，2008.10

(时尚烫发丛书)

ISBN 978-7-5356-2990-6

Ⅰ.百... Ⅱ.明... Ⅲ.理发—造型设计 Ⅳ.TS974.21

中国版本图书馆CIP数据核字(2008)第135478号

时尚烫发丛书
百变花式烫

策　　划：	犀文图书
编　　著：	明镜台
责任编辑：	范琳　刘海珍
出版发行：	湖南美术出版社
	（长沙市东二环一段622号）
经　　销：	湖南省新华书店
印　　刷：	长沙湘诚印刷有限公司
开　　本：	889 × 1194　1/16
印　　张：	10
版　　次：	2008年10月第1版　2008年10月第1次印刷
书　　号：	ISBN 978-7-5356-2990-6
定　　价：	60.00元(共两册)

【版权所有，请勿翻印、转载】

邮购联系：0731-4787105　邮　编：410016
网　　址：http://www.arts-press.com/
电子邮箱：market@arts-press.com
如有倒装、破损、少页等印装质量问题，
请与印刷厂联系调换。

百变花式烫

目录 CONTENTS

- 前言 2
- 百变花式烫发的基础知识 3
- 头发的结构 3
- 特殊的烫发技巧 4
- 烫发芯的排列 5
- 烫发用品和工具 6
- 角度提升的技巧 7
- 特殊烫发芯的卷法 8
- 百变花式烫技术详解 13

前言 PREFACE

　　常言道"一切从头开始",每个人的形象也是从头开始的。在越来越注重形象的今天,烫发将会是发型流行趋势的首选,已被越来越多的女性所喜爱。烫发可以根据不同的场合、不同的手法技巧,塑造出千变万化的造型,展示女性活泼、成熟、时尚、高雅、性感等多样化的特质。曲直之间,闪耀出无限魅力。

　　能够塑造出多种面貌的鬈发,成为女性跃跃欲试的追捧发型,它可以完美地展现出女性高贵的气质和独特的个性魅力。头发上的变化可以是头顶飞扬活泼的动感线条,或是有如云彩般细密柔和的蓬松小鬈发。卷度自然飘盈的鬈发造型更是迷人,常常都会给人一种浪漫、慵懒的气质感,能够将女人味发挥得淋漓尽致。

　　在日常生活中,每个人都可以根据不同的需求选择不同的烫发造型。现在人们对烫发的普遍要求是操作时间短,烫后头发有光泽,充满弹性,自然有型。经由各个年代的改良与潮流变迁后,头发的卷度发生了非常丰富的变化。烫发种类和辅助上卷工具都推陈出新,营造出来的卷度越来越自然,就连使用方法与携带方式都显得非常方便,让女性随时随地都可以尽情享受烫发所带来的百变形象。

　　如果您想要展露出更美丽的形象风采,那请您从头发开始注重,本套丛书将会是您的绝佳选择。全书收集了时下最流行的女式烫发造型,并对每款发型的设计造型过程进行了详细的分解说明,分为《百变花式烫》和《魅力生活烫》两大系列,全面介绍了烫发造型过程中的基本手法、技术要点等,内容丰富,图文并茂,简单易懂,是发型爱好者、发型师和发型初学者的极好参考书目。

百变花式烫发的基础知识

头发的结构 TOU FA DE JIE GOU

学习烫发技术必须先了解头发的结构,这对烫发操作过程很有帮助。头发的结构可以分为三大层和四大键,三大层即表皮层、皮质层和髓质层;四大键是氢键、盐键、二硫化物键和氨基键。

三大层

表皮层

角质层是头发的最外层,由相互附着的几层纤维构成,起保护作用。角质层通过上面的微孔可吸收液体,其状况直接影响到头发的透气性。头发的多孔性决定了头发的质量。烫过的头发上面微孔增多,因此要求使用弱性化学物质。

皮质层

皮质层由螺旋状蛋白质构成,每一条蛋白质链紧密结合在一起,蛋白质链的位置决定了头发的形状。某些类型的连接,比如氢和盐的连接很容易改变,因此,头发在湿的情况下,能暂时改变其形状。而另一些类型的连接,如二氧化硫型的蛋白质链的结合则相当坚实,必须使用化学物质才能使其形状发生长久的改变。

髓质层

髓质层是头发的中心层,与烫发无关。

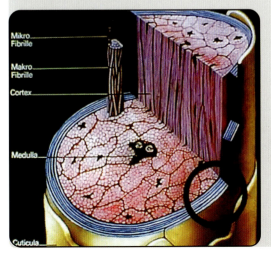

四大键

氢键(氢链锁)

- 保持多缩氨基酸链在皮层内一起。
- 可被水分解。
- 吹发或恤发时可暂时改变形状。

盐键(盐链锁)

遇到轻微碱性时会膨胀(电发药水含有碱性化合物)。

二硫化物键(硫链锁)

- 由两个硫分子组成。
- 使头发保持弹性和天然形状。
- 当遇到电发药水内所含的氢原子时,便会暂时分解。
- 这种"改变形状"的作用是烫发的基本作用。

氨基键

氨基键只存在于粗硬的头发里面,细软的头发里面不存在。

一般常用的烫发化学物质有两种:冷烫液或热烫液和定型液(起氧化作用)。其主要成分和作用如下:

- **氢硫氨基酸**
  分解作用。
  含有氢原子,在电发过程中把硫链锁分开。
- **亚蒙尼亚**
  打开头发表皮。
  使头发膨胀,容易吸收药水。
- **附加物**
  护发成分:使头发免受损害。
  颜色:使药水易于区分。
  香料:令药水有香味。
  蒸馏水组合:支持各种成分。

特殊的烫发技巧

TE SHU DE TANG FA JI QIAO

1. 根部烫发

根部烫发是指仅在头发根部进行的烫发。根部烫发适用于烫发已有一段时间，发根是直发、发梢是鬈发的情况。操作时，将一束头发由根部开始卷绕在发芯上，卷到所需要的位置，用皮筋固定，可用十字形或扇形排列方法进行排列，已烫过的头发部分则涂上保护剂或用特制的涂塑的纸包起来。

2. 挑烫

挑烫对于头发较多的人，挑出的头发不烫，使头发烫后不会过于蓬松；如果头发稀少，则挑出的头发另外卷烫，可增加头发的蓬松感，以弥补头发稀少的缺陷。

注意：挑发片时要用"Z"形线，以防止发芯留下痕迹。

3. 局部烫发

在处理发根直而发梢要卷曲的特殊发型时，可采用局部烫发的方法来操作，这种方法适合中长发或长发。操作方法是从后发际处开始，用冷烫芯把头发卷到所要的高度进行固定。

注意：（1）烫发芯排列要整齐；
（2）排列的高度要一致。

根部烫发

挑烫

局部烫发

烫发芯的排列

1. 普通排卷

普通排卷是用同一型号的卷芯排列。排列按方向可分为十字排列、扇形排列、砌砖排列、纵向排列、S形排列、按发型需要排列等六种。

（1）十字排列

从头顶部开始，依次向后卷至后发际处，头顶向前额方向排列，两侧分别向下排列，形成十字形。这种排卷方法是最常见的一种。

（2）扇形排列

扇形排列与十字排列在前发际至后发际的排列方法上相同，不同的是两侧排列成一个扇面。这种排卷方法适用于各种发型。烫后头发自然向后，便于吹梳造型。

（3）砌砖排列

从前额中间开始排第一个卷，第二层排两个，第三层排三个，以后逐渐增加。这种卷法能使头发更加蓬松，适用于头发较少的人。

（4）纵向排列

从后发际的一侧开始，逐层向上竖着排列。这种卷法适用于长发，烫后头发呈螺旋状，可代替螺丝卷。

（5）S形排列

S形排列从前额的侧分线开始，侧分线到耳朵为第一排，发卷向左或右倾斜排列，第二排方向与第一排相反，要相互交错，以此类推，一直排到后发际。这种卷法适用于长发，烫后呈波浪形。

（6）按发型需要排列

根据发型的走向排列，一般从头缝处开始，根据需要进行排卷。发卷横竖交错，排列要紧密。

2. 烫发芯的组合方式

（1）重复：除了鬈发的位置不同以外，其他如角度、发片厚度、发芯大小都一样的就叫重复，即相同的花纹在不同的区域，使用相同的方法（对发型轮廓没有改变）。

（2）渐进：烫发芯的大小，可以从大到小或从小到大地变化。

（3）对比（质感对比）：一个区域烫，另一个区域不烫（直发与曲发，圆弧与角度，烫发与整体）。

1）内圈与外圈不烫。

2）半烫（只烫发杆不烫发根，可以控制蓬松度）。

3）交替：按照次序使用直径大小不同的发芯交替进行。

4）对比交替：使用两种不同工具，以弧度和有角为例，两种工具交替使用，让它们的花纹形成强烈的对比。重复能最大限度地保留发型的轮廓线，而渐进一般用于边沿或固体，可改变发型轮廓线。

烫发用品和工具

TANG FA YONG PIN HE GONG JU

尖尾梳：烫发时用来挑发，分区分线梳理头发。

夹子：用来固定其发束。

橡皮筋：烫发时用来固定发片与卷棒的位置。

手套：烫发时用来保护双手。

喷水壶：用来喷湿头发，保持其平均湿度。

锡纸：电烫时起固定作用。

烫发芯：烫发时用来设定卷度的大小。

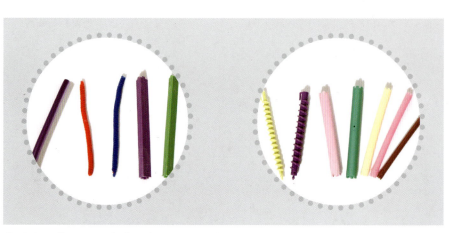

特殊电烫芯：用于特殊卷度变化的设计。

角度提升的技巧

JIAO DU TI SHENG DE JI QIAO

在烫发时，不同的角度卷法有不同的效果。

低角度

1. 将发片扭转成条。

2. 从发尾处加卷发芯上卷。

3. 转动卷发芯至垂直位置并固定。

高角度

1. 提升头发的发片。

2. 放上发芯纸。

3. 加卷发芯上卷至发根并用橡皮筋固定。

平角度

1. 分好发片，并放上发芯纸。

2. 从发尾处加卷发芯上卷。

3. 上卷至发根并用橡皮筋固定。

FASHION HAIR

特殊烫发芯的卷法
TE SHU TANG FA XIN DE JUAN FA

● 电线棒

电线棒工具。

1. 分出发片并整理成一束。

2. 在发根处用电线棒钩住头发。

3. 将头发在电线棒上缠绕。

4. 用锡纸固定发尾。

5. 完成效果图。

三角芯

三角芯工具。

1. 分配好发片。

2. 在发尾处放上电发纸。

3. 加三角芯上卷，抽紧发尾。

4. 用橡皮筋固定。

5. 完成效果图。

FASHION HAIR

螺丝棒

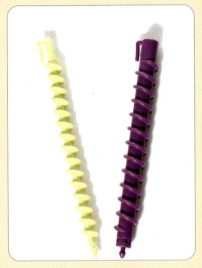

螺丝棒工具。

1. 分出发片并梳理好头发。

2. 在发根处用螺丝棒钩住头发。

3. 将头发缠绕在螺丝棒上。

4. 用锡纸固定发尾。

5. 完成效果图。

海绵芯

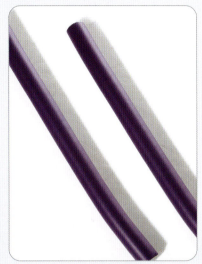

海绵芯工具。

1. 分好发片。

2. 用发芯纸包上发尾。

3. 加海绵芯上卷,并抽紧发尾。

4. 卷到发根部位时,转动海绵芯至垂直位置。

5. 折海绵芯并固定。

烟花芯

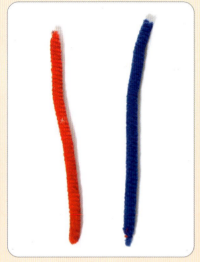

烟花芯工具。

1. 分好发片。

2. 在发根处放上烟花芯。

3. 将头发在烟花芯上缠绕。

4. 固定并留出小部分发尾。

5. 最后，完成效果图。

Before

模特原样

造型步骤

1. 用夹子把上面头发夹住，从最里面一层开始涂放软化剂。
2. 离发根5厘米开始涂放软化剂。
3. 逐层涂放，分层须均匀，量要够。
4. 左侧同样操作。
5. 预留出发尾段受损部分。
6. 右侧也同样操作。
7. 同样逐层涂放软化剂。
8. 操作时间不能过长。
9. 用保鲜膜包裹住涂好软化剂的头发。
10. 等待时间。

发质 The hair's quality

柔 ▢▢▢▢▢▢▢ 硬

发量 The hair's amount

少 ▢▢▢▢▢▢▢ 多

Features	圆形	椭圆形	倒三角形	正三角形	长形	方形	菱形
适合脸形	◯	◯	▽	△	▢	▢	◇
→			✓		✓		

造型点评

　　整个造型呈现出优雅俏丽的感觉，在甜美的笑容下更是散发一种与众不同的时尚气息。卷度自然飘盈的鬈发发型很是迷人，使得整个头发看起来极具立体感，这样常常会给人一种浪漫、慵懒的气质感，将女人味发挥得淋漓尽致。

FASHION HAIR

11. 中途检测软化,用力拉一小束头发。

12. 观看回弹的速度和程度。

13. 理想软化效果。

14. 分取发片梳理整齐。

15. 放上隔热棉。

16. 预留出发尾。

17. 上卷至发尾。

18. 用皮筋固定。

19. 侧面发片分份。　　**20.** 同样上卷固定。

21. 当有散发出现时，用尖尾梳整理好即可。　　**22.** 顶区提拉发片90，放上隔热棉。

23. 同样上卷固定。　　**24.** 其余发片同样操作。

25. 全部上卷固定好后，插电源插件。　　**26.** 插件得插紧，加温至干即成，中途注意用冷风吹头皮。

百变花式烫

Before

模特原样

造型步骤

1. 从顶区开始分份取发。
2. 包裹发纸。
3. 预留发尾。
4. 继续发片分份。
5. 包裹发纸。
6. 预留出发尾。
7. 上卷至发尾。
8. 用皮筋固定。
9. 后枕骨区发片分份。
10. 包裹发纸。

发 质 The hair's quality

柔 ☐☐☐☐☐☐☐☐ 硬

发 量 The hair's amount

少 ☐☐☐☐☐☐☐☐ 多

Features	圆形	椭圆形	倒三角形	正三角形	长形	方形	菱形
适合脸形	◯	◯	▽	△	▭	▭	◇
→		✓					✓

造型点评

　　自然轻盈的卷曲弧度衬托出短发的知性甜美感。后脑蓬松、发尾卷翘，再加上发丝色彩的变化，使得头发更具有跳动感，简洁不失活泼，恬静不失柔美，比较有份量地修饰出整款发型的美丽曲线。

FASHION HAIR

11. 从发根处开始上卷。

12. 预留出发尾。

13. 向脸的方向卷。

14. 用皮筋固定。

15. 梳理发片。

16. 包裹发纸。

17. 上卷至发尾。

18. 上卷完成后效果。

百变花式 烫

19. 包裹棉条。

20. 上1号烫发液。

21. 涂放多次，但每次不要过量，然后等待25分钟。

22. 冲水5分钟后吸干水分。

23. 用纸巾把头发上的水分吸干。

24. 上2号定型液。

25. 滴均匀，继续等候15分钟。

26. 完成效果图。

造型步骤

1. 分配好发束。
2. 滴上烫发液。
3. 从发根部位开始扭转。
4. 用锡纸包好。
5. 用夹子夹紧包好的发束，继续分出发片。
6. 滴上烫发液。
7. 同样操作，垫上锡纸并包好。
8. 分出发片。
9. 同样操作，将发束扭紧。
10. 后面效果图。
11. 加上棉条。
12. 滴上定型液，等10~15分钟后冲洗即可。

发质 The hair's quality

柔 ▨▨▨☐☐☐☐ 硬

发量 The hair's amount

少 ▨▨▨☐☐☐☐ 多

Features	圆形	椭圆形	倒三角形	正三角形	长形	方形	菱形
适合脸形	✓						✓

造型点评

这款自然而清爽的鬈发造型，轻松活泼却不招摇，更能突出淡雅可爱的女人味。发丝蓬松凌乱，极富时尚的青春动感，清新俏丽的气息扑面而来。边缘微微削碎的刘海显得活泼，少女味十足，表露甜美，惹人怜爱。

FASHION HAIR

人气指数: ★★★★☆

LEFT　　BACK　　RIGHT

Before

模特原样

造型步骤

1. 分出发片,将发根扭转。
2. 放上发芯,并将头发在发芯上缠绕。
3. 分配好发片。
4. 扭转发根。
5. 放上发芯。
6. 将头发在发芯上缠绕。
7. 用发芯把头发根部定紧。
8. 继续分出发片,同样操作。
9. 后下方用尖尾梳分出发片。
10. 扭转发根。

发 质 The hair's quality

柔 ▢▢▢▢▢▢▢ 硬

发 量 The hair's amount

少 ▢▢▢▢▢▢▢ 多

Features	圆形	椭圆形	倒三角形	正三角形	长形	方形	菱形
适合脸形							
→					✓		✓

造型点评

这款发型既具有强烈的现代感,又给人一种充满活力的感觉,宛如一道亮丽的风景。后面蓬松的头发和看似杂乱无章的发卷营造出浓浓的休闲轻松氛围,微微的凌乱感显得更加娇俏迷人,俏皮而时尚的造型让人过目不忘。

FASHION HAIR

11. 加发芯并固定好根部。

12. 将头发在发芯上缠绕。

13. 扭转固定发芯。

14. 拿起发片。

15. 用同样手法放上发芯并固定。

16. 用尖尾梳继续分出发片。

17. 整理为一束。

18. 扭转发根。

19. 放上发芯并缠绕固定。

20. 梳理发片。

21. 同样操作,放上发芯并开始缠绕。

22. 固定尾部,留出四分之三的发尾。

23. 将1号烫发液滴于头发上,等待10分钟。

24. 再上一次1号烫发液,等待15分钟。

25. 待检查后用温水冲洗2~5分钟,再用纸巾吸干水分。

26. 最后用定型液滴于头发上,10~15分钟后拆下洗头。

造型步骤

1. 颈部分出一小束头发，在发根处开始绕卷红色烟花芯。
2. 发束沿着烟花芯向下绕卷。
3. 快到发尾处折起烟花芯。
4. 折好烟花芯下部。
5. 折好烟花芯上部并固定。
6. 在右耳际边分出小股发束。
7. 上蓝色烟花芯。
8. 用同样手法上好各区烟花芯。
9. 加棉条，上1号烫发液。
10. 包好保鲜膜，等待20~25分钟。
11. 冲洗后吸干水分。
12. 上定型液，等待10~15分钟。

发质 The hair's quality
柔 ▢▢▢▢▢▢ 硬

发量 The hair's amount
少 ▢▢▢▢▢▢ 多

Features	圆形	椭圆形	倒三角形	正三角形	长形	方形	菱形
适合脸形	☺	☺	▽	△	▢	▢	◇
→				✓			✓

造型点评

这款发型在俏皮中又带有一股野性美。似卷非卷的蓬松造型，在顶区部位做出烫发效果，增强发丝的立体膨胀感，显出头顶的圆润饱满；而在发尾适度垂直，发梢的长度比例拉长，呈现冲突又和谐的绝佳效果。

Before

模特原样

造型步骤

1. 分出发片。
2. 将发片集中成一束。
3. 垫上锡纸，滴上烫发液。
4. 把锡纸折叠起来。
5. 继续折叠裹紧，留出发尾。
6. 固定发根。
7. 从发根处开始扭转。
8. 继续扭转。
9. 到发尾时留出发尾。
10. 分出发片，垫上锡纸。

发　质 The hair's quality

柔 ▢▢▢▢▢▢▢ 硬

发　量 The hair's amount

少 ▢▢▢▢▢▢▢ 多

Features	圆形	椭圆形	倒三角形	正三角形	长形	方形	菱形
适合脸形							
→		✓					✓

造型点评

　　这款发型的特色在于顶区用蓬松凌乱的鬈发增强立体感，搭配前额碎碎的顺直刘海，能更好地突出精致的五官，有修饰脸形的效果。带有随意味道的蓬松鬈发在年轻女孩当中聚集很高的人气，显得乖巧甜美，小女人味十足。

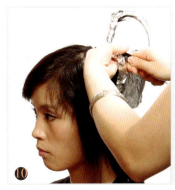

FASHION HAIR

11. 滴上烫发液。

12. 合起锡纸。

13. 将头发靠一边。

14. 叠好锡纸。

15. 固定发根。

16. 从发根处开始扭转，并留出发尾。

17. 同样操作，滴上烫发液。

18. 把锡纸叠好并扭转。

19. 继续分出发片。

20. 放上锡纸。

21. 同样操作,合起锡纸扭转。

22. 梳顺发片。

23. 垫上电发纸并上卷。

24. 其余发片同样操作。

25. 上卷至发根。

26. 用橡皮筋固定,滴定型液,等待10~15分钟后洗干净。

百变花式烫

———— Before ————

模特原样

造型步骤

1. 用尖尾梳分出发片。
2. 梳理发片。
3. 垫上发芯纸。
4. 将发片包起。
5. 加发芯上卷至发根并固定。
6. 分出发片。
7. 用发芯纸包好。
8. 将头发缠绕在发芯上。
9. 用橡皮筋固定。
10. 梳理好发片。

发 质 The hair's quality
柔 □□□□□□□ 硬

发 量 The hair's amount
少 □□□□□□□ 多

Features	圆形	椭圆形	倒三角形	正三角形	长形	方形	菱形
适合脸形	◯	◯	▽	△	⬠	▢	◇
→		✓	✓				

造型点评

　　一头慵懒的及肩鬈发，充满着灵动的气息，飞舞着时尚的风格。鬈发的凌乱搭配直发的流畅，给整个发型平添一种律动的美，有种突破常规的锐气，是提升时尚度的关键所在。甜美中掺加一点性感，温柔中又透露一丝清新，散发出万种风情。

FASHION HAIR

11. 用发芯纸将发片包好。

12. 加发芯上卷,并用梳尖把碎发整理好。

13. 梳理发片。

14. 用发芯纸包好发片,加发芯。

15. 上卷至发根并固定。

16. 拿起发片。

17. 用发芯纸包好。

18. 加发芯上卷并固定。

百变花式 烫

19. 梳理左侧发片。

20. 同样用发芯纸包好。

21. 加发芯上卷至发根固定。

22. 后面效果图，顶区的头发不需要烫。

23. 用1号烫发液滴在发芯上。

24. 包上保鲜膜，等待20~25分钟。

25. 温水冲洗2~5分钟后，再用纸巾吸干水分。

26. 将定型液滴于发芯上，等待10~15分钟后拆下洗头。

37

造型步骤

1. 梳理发片，放上发芯纸。
2. 加发芯，平卷至发根。
3. 用梳尖整理好碎发后再固定。
4. 继续分出发片并梳理。
5. 同样操作，上卷至发根并固定。
6. 颈部同样分出发片并上卷。
7. 用橡皮筋固定。
8. 上好卷的后面效果图。
9. 加上棉条，将1号烫发液滴在发芯上。
10. 用保鲜膜把头发包好，等待20~25分钟。
11. 温水冲洗2~5分钟后，再用纸巾把水吸干。
12. 滴上定型液，等待10~15分钟后，用温水冲洗干净。

发质 The hair's quality
柔 ▓▓▓░░░░ 硬

发量 The hair's amount
少 ▓▓▓▓░░░ 多

Features	圆形	椭圆形	倒三角形	正三角形	长形	方形	菱形
适合脸形	☺	☺	▽	△	▽	▢	◇
→					✓		✓

造型点评

这款鬈发发型具有超强的表现力。后区发丝的弧度富于线条的美感，展现出天然的女性魅力，显得亲切、自然；而两侧的柔顺直发则体现出简单利落的固有风格，使得整体还带有一丝古典感觉，显露出成熟、高贵的格调。

Before

造型步骤

1. 梳理发片。
2. 从发中处将头发缠绕在发芯上。
3. 用尖尾梳梳顺发尾。
4. 抽紧发尾。
5. 垫上发芯纸。
6. 包好发尾。
7. 用橡皮筋扣好。
8. 分出发片并梳理。
9. 同样操作,缠绕发芯并梳顺发尾。
10. 抽紧发尾。

发质 The hair's quality
柔 □□□□□□□ 硬

发量 The hair's amount
少 □□□□□□□ 多

Features	圆形	椭圆形	倒三角形	正三角形	长形	方形	菱形
适合脸形	◡	◡	▽	△	◡	▢	◇
→		✓		✓			

造型点评

　　顶区部位头发微微卷出凌乱效果,令发型更加有立体感有活力,塑造高贵又不失可爱的美少女形象。前额柔顺的碎刘海与脸形间多了些空隙,显得娇俏迷人,披散的鬓发自然流露出甜美温柔的小女人味。

FASHION HAIR

11. 卷好并固定。

12. 继续分出发片。

13. 在发中处加上发芯。

14. 将头发缠绕在发芯上。

15. 在发尾垫上发芯纸。

16. 卷好并固定。

17. 顶区分出发片。

18. 垫上电发纸。

百变花式 烫

19. 加发芯，从发尾上卷。　　**20.** 卷至发根固定。

21. 卷好后的效果图。　　**22.** 加上棉条。

23. 滴1号烫发液。　　**24.** 用保鲜膜包住头发，等20~25分钟。

25. 冲水后，用纸巾吸干水分。　　**26.** 滴上定型液，等待10~15分钟。

㊸

FASHION HAIR

人气指数: ★★★★☆

模特原样

LEFT　　BACK　　RIGHT

造型步骤

1. 离发根6厘米，用中号卷杆提升上卷。
2. 包裹发纸。
3. 折纸上卷至后颈位置。
4. 用皮筋固定卷杆。
5. 分出第二层发片。
6. 同样分份，上卷至颈部位置。
7. 头顶区发片整理分份。
8. 同样操作，上卷至耳朵高度。
9. 上1号烫发液，少量多次。
10. 用保鲜膜包好，等候20~25分钟。
11. 冲水后把头发上的水分吸干。
12. 最后上定型液。

发质 The hair's quality
柔 ■■□□□□□ 硬

发量 The hair's amount
少 ■■□□□□□ 多

Features	圆形	椭圆形	倒三角形	正三角形	长形	方形	菱形
适合脸形							
			✓		✓		

造型点评

　　这个优雅细致的造型，以顶部顺滑的发丝衬托精致的五官，在发中处卷出美丽的大波浪，达到和谐的复古美感。卷卷的发梢缔造轻盈的线条，散发出浓浓的女人味，整个发型呈现高贵雅致，韵味十足。

Before

模 特 原 样

造 型 步 骤

1. 分配好发片。
2. 将1号烫发液滴于头发上。
3. 发片扭转成条。
4. 留点发尾不用扭。
5. 垫上锡纸。
6. 将锡纸折叠好。
7. 扭转包好锡纸的发束。
8. 再分出发片，上1号烫发液。
9. 将发片扭成条。
10. 铺放好锡纸。

发 质 The hair's quality

柔 |　|　|　|　|　|　| 硬

发 量 The hair's amount

少 |　|　|　|　|　|　| 多

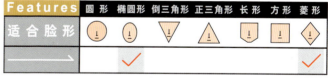

造 型 点 评

　　营造出狂野风情的蓬蓬鬈发顷刻就可锁定众人的目光。偏分的发线与凌乱的发丝，带有一点孩子气，超紧密的烫发弧度，呈现出夸张的戏剧效果。因为有了丰富的层次感，所以视觉上看起来并不显单调，反而在纯真中流露出无限性感的诱惑。

FASHION HAIR

11. 将锡纸折叠包好并扭转。

12. 继续分出发片。

13. 将发片滴上烫发液。

14. 把发片扭转成条。

15. 垫上锡纸。

16. 扭转包好锡纸的发束。

17. 用尖尾梳分出发片。

18. 分出右侧发片。

19. 梳理发片。

   **20.** 滴上烫发液。

21. 同样操作，将包好锡纸的发束扭转成条。

22. 再分出发片。

23. 同样操作，扭转成条。

24. 后面效果图。

25. 等20~25分钟后检查。

26. 检查通过后，拆下锡纸上定型液，10~15分钟后冲洗。

Before

模特原样

造型步骤

1. 梳理发片，耳朵两侧的头发留出不烫。
2. 垫上发芯纸。
3. 折叠包好。
4. 加发芯上卷至发根并固定。
5. 分出发片并用发芯纸包好。
6. 同样操作，加发芯上卷并固定。
7. 顶区同样分片，用发芯纸包好发束。
8. 加发芯上卷至发根并固定。
9. 梳理发片。
10. 把发片集中成发束。

发质 The hair's quality
柔 □□□□□□□ 硬

发量 The hair's amount
少 □□□□□□□ 多

Features	圆形	椭圆形	倒三角形	正三角形	长形	方形	菱形
适合脸形		✓				✓	

造型点评

　　这款发型呈现出来的是充满性感优雅风味的鬈发造型。迷人的大波浪鬈发穿梭在柔顺的直发中，给人很轻盈的感觉，表露女性柔媚的个性。简洁明快的线条无疑是魅力的焦点。整个造型淡雅素净，尽显女人味。

FASHION HAIR

11. 用发芯纸包好发束。

12. 上发芯,从发尾卷至发根。

13. 用橡皮筋固定。

14. 同样操作,分片并上卷固定。

15. 梳理发片。

16. 继续分出发片。

17. 梳理左侧顶区发片。

18. 同样操作,上卷至发根并固定。

19. 分好发片并梳理。　**20.** 把发束用发芯纸包好。

21. 加发芯，上卷至发根并固定。　**22.** 后面效果图。

23. 将1号烫发液滴于发芯上。　**24.** 用保鲜膜把头发包起，等20~25分钟。

25. 温水冲洗2~5分钟后，再用纸巾把水分吸干。　**26.** 把定型液滴于发芯上，等10~15分钟拆下洗头即可。

造型步骤

1. 低角度拿起发片。
2. 垫上电发纸。
3. 把发芯放入电发纸内。
4. 上卷至发根并固定。
5. 分出发片。
6. 加发芯并上卷。
7. 卷至发根，用橡皮筋固定。
8. 后面效果图。
9. 上1号烫发液。
10. 用保鲜膜包好，等待20~25分钟。
11. 冲水后，再用纸巾把水分吸干。
12. 上定型液，等待10~15分钟。

发质 The hair's quality

柔 ▭▭▭▭▭▭▭ 硬

发量 The hair's amount

少 ▭▭▭▭▭▭▭ 多

Features	圆形	椭圆形	倒三角形	正三角形	长形	方形	菱形
适合脸形							
→				✓			✓

造型点评

这款发型在简洁中追求成熟的韵味。高层次的波浪鬈发，即使在发根部位，也留有卷度，这样不但能让发量更丰盈，而且垂坠的鬈发会带有一种浪漫的律动感。整个造型演绎出女性成熟的野性魅力，让人遐想。

———— Before ————

模特原样

🟡造 🔵型 🟡步 🔵骤

1. 分配好发片。
2. 拿起发片，将发片集中起来。
3. 梳理发片。
4. 垫上电发纸。
5. 加发芯，上卷至发根并固定。
6. 夹起发片并梳理。
7. 同样操作，上卷至发根并固定。
8. 顶区分出发片。
9. 垫上电发纸。
10. 加发芯上卷。

发 质 The hair's quality

柔 ▢▢▢▢▢▢▢ 硬

发 量 The hair's amount

少 ▢▢▢▢▢▢▢ 多

Features	圆形	椭圆形	倒三角形	正三角形	长形	方形	菱形
适合脸形	⬭	⬭	▽	△	▯	▢	◇
→			✓				✓

🟡造 🔵型 🟡点 🔵评

　　越是简约的发型越能展现健康秀发的天生丽质。在轻盈、飘逸、动感十足的发丝中，完美衬托出秀丽可人的五官，别有一番清新自然的甜美感。整个发型凌乱的卷曲弧度，又充分表现出独特的时尚个性，散发迷人魅力。

FASHION HAIR

11. 卷至发根并用橡皮筋固定。

12. 继续分出发片。

13. 梳理发片。

14. 垫上电发纸。

15. 加好发芯。

16. 上卷至发根并固定。

17. 左侧继续分出发片。

18. 同样操作，加发芯上卷。

19. 卷至发根并用橡皮筋固定。

20. 后区效果图。

21. 卷好后的前区效果图。

22. 放好托盘，加棉条，滴上1号烫发液。

23. 把烫发液均匀滴在发芯上。

24. 用保鲜膜包好，等待20~25分钟。

25. 冲洗后把头发上的水分吸干。

26. 滴上定型液，等待10~15分钟。

造型步骤

1. 顶区分出发片。
2. 将发片分为三束，来回交叉编辫。
3. 一边用力定紧，一边将发束交叉编辫。
4. 用锡纸把编好的发束包好，留出发尾。
5. 用尖尾梳继续分出发片。
6. 同样操作，将发片分为三束交叉编辫。
7. 用锡纸包好，留出发尾。
8. 后面效果图。
9. 将1号烫发液滴于头发上。
10. 用保鲜膜包好，等待20~25分钟。
11. 温水冲洗2~5分钟后，再用纸巾把水分吸干。
12. 将定型液滴于头发上，等10~15分钟后拆下洗头。

发质 The hair's quality
柔 ▮▮▮▮▯▯▯▯ 硬

发量 The hair's amount
少 ▮▮▮▮▮▯▯▯ 多

Features	圆形	椭圆形	倒三角形	正三角形	长形	方形	菱形
适合脸形							
		✓					✓

造型点评

这款蓬松的发型带来街头时尚风，相当适合发质纤细的人。整个造型有一股野性美，自然披散的凌乱发丝，仿佛刚起床的性感模样。渐层式的烫发效果能让发量更丰盈，增添了视觉美感，恰当体现出性感俏丽的一面，显得率真又别致。

FASHION HAIR

人气指数: ★★★★★

Before

模 特 原 样

造 型 步 骤

1. 分好发片。
2. 垫上电发纸。
3. 抽紧发尾,上发芯。
4. 从发尾处上卷至发根。
5. 用橡皮筋固定。
6. 梳顺发片。
7. 将发片集中成一束。
8. 垫上电发纸。
9. 加发芯,抽紧发尾。
10. 上卷至发根并固定。

发 质	The hair's quality
柔 ▨▨▨☐☐☐☐☐ 硬	

发 量	The hair's amount
少 ▨▨▨▨☐☐☐☐ 多	

Features	圆形	椭圆形	倒三角形	正三角形	长形	方形	菱形
适合脸形	⬭	⬭	▽	△	▭	▢	◇
			✓	✓			

造 型 点 评

这款鬈发发型充分体现出女人的韵味和时尚的元素,在明快线条中抢尽风头。两种不同烫发手法的搭配,为烫发注入新鲜感,产生意想不到的高雅效果,散发清丽可人的气息。发丝闪烁着亮丽的光泽,美丽自然就脱颖而出。

FASHION HAIR

11. 继续分出发片。

12. 垫上电发纸。

13. 加发芯，抽紧发尾。

14. 同样卷至发根并用橡皮筋固定。

15. 分出左侧发片。

16. 在发尾处垫上电发纸。

17. 同样操作，上卷至发根并固定。

18. 顶区分出发片。

19. 在发根处上烟花芯。

20. 将头发缠绕在烟花芯上。

21. 固定并留出发尾。

22. 后面效果图。

23. 滴上1号烫发液。

24. 包上保鲜膜,等20~25分钟。

25. 冲洗后用纸巾吸干水分。

26. 滴定型液,等10~15分钟。

百变花式烫

Before

模特原样

造型步骤

1. 分出发片并梳理。
2. 垫上电发纸。
3. 合起电发纸。
4. 包好裹紧。
5. 把发芯放入电发纸内。
6. 上卷至发根。
7. 用橡皮筋固定。
8. 把发片分好，拉直。
9. 垫上电发纸。
10. 包好电发纸。

发质 The hair's quality

柔 ▢▢▢▢▢▢▢ 硬

发量 The hair's amount

少 ▢▢▢▢▢▢▢ 多

Features	圆形	椭圆形	倒三角形	正三角形	长形	方形	菱形
适合脸形							
→		✓	✓				

造型点评

　　好似花卷般可爱的鬈发发型显得甜美又时尚。看似凌乱的鬈发发型即使是随意摆弄也不会变得真的乱糟糟。丰盈的内卷，柔顺的发梢，充满发量的质感和丰厚度，不用发饰和装饰品便已足够可爱，呈现出年轻俏丽的感觉。

FASHION HAIR

11. 把发芯放入电发纸内。

12. 上卷至发根。

13. 用橡皮筋固定。

14. 继续分出发片。

15. 同样操作，上发芯。

16. 固定好发芯。

17. 卷好发芯。

18. 用橡皮筋扣好。

19. 分好发片，拉直。

20. 垫上电发纸。

21. 加发芯并上卷。

22. 用橡皮筋固定。

23. 上1号烫发液，将其均匀滴在发芯上。

24. 用保鲜膜包好，等待20~25分钟。

25. 冲水后，再用纸吸干头发上的水。

26. 上定型液，等待10~15分钟即可。

造型步骤

1. 分出发片并梳顺，用手指固定。
2. 在发片表面放上发芯纸。
3. 上发芯，缠绕至发根。
4. 用橡皮筋固定。
5. 在左侧区分出发片，梳顺后包上发芯纸。
6. 从发尾处上发芯。
7. 卷至发根再固定。
8. 用同样的手法上好其他发芯。
9. 放好托盘，加上棉条，上1号烫发液。
10. 用保鲜膜包好，等待20~25分钟。
11. 冲洗后用纸巾吸干水分。
12. 上定型液，等待10~15分钟。

发质 The hair's quality

柔 ☐☐☐☐☐☐ 硬

发量 The hair's amount

少 ☐☐☐☐☐☐ 多

Features	圆形	椭圆形	倒三角形	正三角形	长形	方形	菱形
适合脸形			✓	✓			

造型点评

带有韩味的半圆刘海呈现出年轻俏丽的感觉。从顶区部分开始做出适度的卷曲弧度，凌乱而不张扬，创造随意的精彩效果，显得甜美又不失青春活力。烫发的纹理赋予其微妙的层次感，表达出率真自我，轻而易举就拥有了时尚感。

百变花式烫

Before

模特原样

造型步骤

1. 分区并梳理发片。
2. 低角度拿起发片。
3. 加上发芯。
4. 将头发缠绕在发芯上。
5. 用电发纸包好发尾并固定。
6. 分出发片,上发芯。
7. 从发中处将头发缠绕在发芯上。
8. 梳顺发尾并包好固定。
9. 同样操作,分出发片上发芯。
10. 抽紧发片。

发 质 The hair's quality

柔 ▢▢▢▢▢▢▢ 硬

发 量 The hair's amount

少 ▢▢▢▢▢▢▢ 多

Features	圆形	椭圆形	倒三角形	正三角形	长形	方形	菱形
适合脸形		✓			✓		

造型点评

迷人的大波浪鬈发,这恐怕就是长发永恒经典的美丽所在。用粗一点的卷发棒把头发卷成大大的发卷,给人很轻盈的感觉。柔柔的大发卷,加上富有光泽感的发色,衬托出令人着迷的精神活力。头顶垂下的卷发梢,又使轮廓显得朦胧,很好地修饰了脸形,整个造型散发出性感优雅的气息。

FASHION HAIR

11. 用电发纸包好发尾并固定。

12. 用梳子分好发片。

13. 梳理发片。

14. 用发芯把头发卷起。

15. 加电发纸包好发尾。

16. 用橡皮筋扣好固定。

17. 同样操作,分出发片并上发芯。

18. 将头发在发芯上缠绕。

百变花式 烫

19. 用电发纸包好发尾并固定。

20. 后面效果图。

21. 加上棉条的前面效果图。

22. 放好托盘，上1号烫发液。

23. 用保鲜膜包好，等待20~25分钟。

24. 冲洗后吸干水分。

25. 上定型液，等10~15分钟。

26. 最后完成效果图。

造型步骤

1. 用尖尾梳分出发片。
2. 把发片用发芯纸包好。
3. 将包好的发束缠绕在发芯上。
4. 用橡皮筋固定。
5. 继续分出发片并梳理。
6. 用发芯纸包好。
7. 加发芯上卷并固定。
8. 后面效果图。
9. 将1号烫发液滴在发芯上。
10. 用保鲜膜包好，等待20~25分钟。
11. 温水冲洗2~5分钟后，再用纸巾把水分吸干。
12. 滴上定型液，等待10~15分钟后拆下洗头即可。

发质 The hair's quality

柔 ▨▨▨□□□□ 硬

发量 The hair's amount

少 ▨▨□□□□□ 多

Features	圆形	椭圆形	倒三角形	正三角形	长形	方形	菱形
适合脸形		✓					✓

造型点评

这样做出的一头鬈发发型分外抢眼，女人味很浓，还会带点野性感觉，能让人遐想，最适合想做成熟打扮的女性。配合鬈发的优美线条，加之表面的动感直发，决定了这款发型的时尚品位，使人眼前一亮，释放出女性的迷人魅力。

明镜台发廊成立于2002年。慧能六祖有一首偈子：菩提本无树，明镜亦非台，本来无一物，何处惹尘埃。"明镜台"即来源于"明镜亦非台"。当今发廊的含义早已经远远超越了设计满足客人的发型，而是创造一个舒适、愉悦的氛围与客人沟通，了解客人对于发型转变的期待后，提供专业的发型设计，引导客人对于美的更高追求，使客人能够更加自信、优雅地生活。此外，我们乐于辅助同行成长，促进共同发展。

在这里，你可以看到我们都无一例外地拥有共同的理想、优秀的人品、熟练的技术、服务他人的精神以及不断学习的热情。

除了对服务水平、专业技术的精益求精外，我们对于客人使用的各类产品的质量也相当地重视。

明镜台将实现您更佳发型的演绎，更多自信的展现。

广州市天河区林和中路6号广州天誉威斯汀酒店六楼　020-28266769
韶关市建国路29号怡景花园首层七号　　　　　　　0751-8271296
韶关市沙洲尾鸿洲花园首层9号铺　　　　　　　　0751-8357871
韶关市工业东路19号倚山酒店首层　　　　　　　　0751-8178444

明镜台（Magic）创始人

广州威斯汀酒店——明镜台

广州威斯汀酒店——明镜台

我们的团队

我们乐于辅助同行的成长，并开设课程：

基础课程：适合零基础人士报名　　　　　　　　课时：为期3个月，讲解传授行业生存技能，适应行业发展需求，成为行业业务能手。
技术、服务提升课程：适合有三年行业经验人士报名　课时：5日，讲解传授当今最时尚的技术手法，服务技巧，客服体验，让你在短期内成为受人崇拜的高手。
精英全面体验课程：适合店长、总监人士报名　　　课时：3日，全程参与五星级酒店里的精品店的业务操作。提供技术、服务、经营、推广、全方位的指导。